een sok in mijn huis

Frank Smulders
tekeningen van Leo Timmers

Zwijsen

huis

ik ben een vis.
bas heet ik.
ik woon in het meer.
het meer is mijn huis.
kom maar in mijn huis.
kom er in en kijk!

sok

kijk, een tas in mijn huis.
in de tas zit een kam.
ik pak de kam.
ik kam mijn vin.
maar wat is dat?
een sok aan een haak?
wat is dat voor een sok?
ik weet wat!
ik doe de kam in de sok.
weg sok, weg kam.

zeep

kijk, een doos.
daar zit mijn zeep in.
ik pak de zeep.
ik was mijn kop met de zeep.
wat een sop, mmm.
raar is dat.
daar is de sok weer!
ik doe de zeep in de sok.
tot kijk, sok.
neem de zeep maar mee.

pen

kijk, een vaas.
ik weet wat daar in zit.
mijn pen.
ik pak de pen.
hee.
de sok aan de haak is er weer.
ik mik de pen in de sok.
tot kijk, sok!
neem de pen maar mee hoor.

mok

kijk, een mok.
in de mok zit een veer.
de veer is wit en nat.
ik pak de veer.
raar hoor.
daar is de sok weer!
ik doe de veer in de sok.
tot kijk, sok.
neem mijn veer maar mee.

roos

kijk, een pan.
er zit een roos in de pan.
ik pak de roos.
hee.
de sok aan de haak is er weer.
ik doe de roos in de sok.
tot kijk, sok.
neem de roos maar mee!

weg

ik mis de kam.
ik mis de zeep.
ik mis de pen en de veer.
de roos mis ik ook.
ze zijn weg, weg, weg.
rot is dat!

15

hup

kijk, daar is de sok weer.
ik weet wat.
hup.
ik wip de sok in.
neem mij maar mee, sok.
wat een mop.
de sok is van de maan!

zee

de maan doet me in een kom.
ik ben weer bij de kam.
en bij de zeep.
en bij de pen.
en bij de veer.
en bij de roos!
de maan moet weer door.
hij moet naar de zee.
hij neemt mij mee.

Serie 5 • bij kern 5 van Veilig leren lezen

Na dertien weken leesonderwijs:

1. een sok in mijn huis
Frank Smulders en
Leo Timmers

2. een huis voor poes
Marianne Busser &
Ron Schröder en
Gertie Jaquet

**3. op zoek naar
oom koos**
Maria van Eeden en
Jan Jutte

4. wat ben ik?
Lieneke Dijkzeul en
Mark Janssen

5. ik neem het op
Ivo de Wijs en
Nicolle van den Hurk

6. noor is weg
Anke de Vries en
Alice Hoogstad

7. tim en zijn maat pim
Martine Letterie en
Rick de Haas

8. daar is mam
Dirk Nielandt en
Nicole Rutten